GANZ BERLIN
und Potsdam

Gesamtherstellung: Darstellung und Druck
EDITORIAL ESCUDO DE ORO, S.A.

e-mail: editorial@eoro.com
http://www.eoro.com

SCHIKKUS
Otto-Suhr-Allee, 114 - 10585 BERLIN
Tel: (030) 364077-0 - Fax: 3640 7777

Fotonachweis:
Lehnartz Berlin
Heinze von Hippel Berlin
Nuske Berlin
Rehberg Berlin
Schneider Berlin
Deutsche Luftbild

Editorial Escudo de Oro, S.A.

INHALT

Pariser Platz, Brandenburger Tor.

Der Potsdamer Platz.

Berlin bei Nacht.

EINLEITUNG

Berlin ist wieder voll da. Die so lange geteilte, ins Abseits gedrängte und trotz allem – hüben wie drüben – zäh um ihre Zukunft kämpfende Stadt wächst wieder zusammen. Berlin schickt sich dieser Tage an, wieder zu dieser europäischen Weltmetropole zu werden, die es schon einmal gewesen ist; mit neuen Aufgaben, neuen Perspektiven und mit neuem Antlitz. Das Gesicht der alten und neuen Hauptstadt weist viele Narben auf, doch sie trägt sie mit Selbstbewusstsein und Stolz. Hier soll Geschichte nicht vergessen werden, sondern stets präsent sein, als Erinnerung und Mahnung, aber auch als Verpflichtung für die Zukunft. So wie die Stadt den Zweiten Weltkrieg und die daraus resultierende deutsche Teilung schmerzlicher als andere Städte erleiden musste, so macht sich auch der Wandel, der neue Aufbruch, die Zukunft des wiedervereinigten Staates hier in dieser gezeichneten Stadt deutlicher bemerkbar als anderswo in Deutschland.

Seit dem 9. November 1989 ist Berlin plötzlich nicht mehr Inselstadt, weder Vorposten der freien Welt noch Schaufenster des Sozialismus, weder West noch Ost, sondern Drehscheibe zwischen den Welten, politischer, sozialer, geistiger und kultureller Brennpunkt einer rasant voranschreitenden neuen Weltordnung.

Es geschah hier: in der Nacht vom 8. zum 9. November 1989 wurde die Berliner Mauer, das Bollwerk des Sozialismus, plötzlich durchlässig. Wie ein böser Spuk war das Sinnbild für Trennung und Menschenverachtung am 13. August 1961 über die

Die Spree mit Berliner Dom und Nikolaiviertel.

Stadt gekommen; wie einen bösen Spuk schüttelten die Berliner den Betonwall Stück für Stück ab. An Grenzübergängen und auf Mauerkronen fielen sich Fremde und Bekannte in die Arme, Tränen der Freude flossen in Strömen. Schon bald hatten «Mauerspechte» die Betonplatten wie einen Schweizer Käse durchlöchert.

So rasant, wie sich die Spaltung der Nation in Nichts auflöste, so rasant wurden die gekappten Verbindungen zwischen der westlichen Inselstadt und der ungeliebten Hauptstadt der DDR wieder in Stand gesetzt. Berlin ist wieder Hauptstadt und Regierungssitz. Nirgendwo wurde die neue Einheit so deutlich vollzogen, kann sie so hautnah gespürt werden wie in dieser Stadt, die erneut Geschichte macht.

Und dabei hatte alles so bescheiden angefangen, bezeichnenderweise als – geteilte Stadt.

An der schmalsten Stelle des Warschau-Berliner Urstromtals entstanden um das Jahr 1200 herum in den Spreeniederungen die beiden Handelsniederlassungen Berlin und Cölln, die durch die Spree getrennt wurden. Die beiden rivalisierenden Städte (Cölln wurde als erste 1237 urkundlich erwähnt, was als «Geburtsstunde» Berlins gilt) einigten sich 1307 auf eine gemeinsame Verwaltung. Durch die Kolonialisierung des Ostens erlebte die Doppelstadt den ersten entscheidenden Aufschwung; Berlin gehörte sogar 200 Jahre lang der Hanse an.

Nachdem Berlin 1442 unter die Herrschaft der Hohenzollern geriet, wandelte sich die selbstbewusste Bürgerstadt zur kurfürstlichen Residenzstadt. 500 Jahre lang sollten die Ho-

EINLEITUNG

Spreepanorama.

henzollern das Schicksal der Stadt lenken. Schon 1443 wurde der Grundstein zum Stadtschloss in Cölln gelegt, sein endgültiges Gesicht schuf jedoch Andreas Schlüter 1698 (bis zur Zerstörung 1950). Im Dreissigjährigen Krieg wurde die Bevölkerung um 50% dezimiert; erst die kluge Politik des «Grossen Kurfürsten» Friedrich Wilhelm schuf die Grundlagen für den erneuten Aufschwung Berlins – unter der Prämisse eines straff organisierten preussischen Gesamtstaates. Unter seiner Herrschaft wurden in ihrer Heimat verfolgte französische Hugenotten und Wiener Juden in die Stadt geholt, spä-

ter folgten Böhmen, Pfälzer und andere Zuwanderer. Sie alle brachten frische Ideen, feinere Lebensart und neuartige Handwerkstechniken nach Berlin.

Der Nachfolger des Grossen Kurfürsten, sein Sohn Friedrich III., krönte sich im Jahre 1701 in Königsberg zum ersten «König der Preussen», Friedrich I. Berlin wurde zur Haupt- und Residenzstadt des Königreichs Preussen. Sein Nachfolger, Friedrich II., später auch respektvoll «der Alte Fritz» genannt, führte die regen Bautätigkeiten seines Vaters fort und machte Berlin zur europäischen

Grossstadt, nicht nur in architektonischer, sondern auch in kultureller Hinsicht. «Spree-Athen», wie die Stadt ihrer klassizistischen Bauten wegen genannt wurde, war eine Stadt der Aufklärung; die Freundschaft des Königs mit dem französischen Philosophen Voltaire ist bekannt. Berlin wächst ständig: von 56000 Einwohnern im Jahre 1720 auf 147000 im Jahre 1781. In der Soldatenstadt zählen gut 25% der Einwohner zur «Militärbevölkerung», Preussen versteht sich auch und vor allem als Staat in Uniform. Nach der Schlacht von Jena und Auerstedt ziehen Napoleons Truppen

Marmor Palais am Heiligensee mit Berliner Vorstadt und Blick über die Havel Richtung Berlin.

1806 durch das Brandenburger Tor. Es folgen zwei Jahre Besatzung. 1809 kehren Hof und Staatsregierung aus Königsberg nach Berlin zurück. Erneut erlebt die Stadt einen ungeheuren Aufschwung auf allen Gebieten des vorindustriellen Lebens. Wilhelm V. Humboldt gründet die Friedrich-Wilhelm-Universität, der Architekt Karl Friedrich Schinkel und der Gartenbaumeister Peter Joseph Lenné prägen entscheidend das Bild der Stadt, die im weiteren Verlauf des 19. Jahrhunderts zur bedeutendsten Industriestadt des Kontinents wird. Nach der Niederschlagung der bürgerlichen März-Revolution von 1848 wird die Hoffnung auf eine moderne liberale Verfassung erst einmal begraben.

Die zweite Hälfte des Jahrhunderts ist geprägt durch die sogenannten Gründerjahre. Durch die enge Zusammenarbeit von Kapital, Wissenschaft und Technik werden in Berlin bahnbrechende Erfindungen gemacht, entstehen moderne Industriebetriebe von Weltrang: Siemens (1847), Schering (1851), Agfa (1873) und AEG (1883), um nur die bekanntesten zu nennen. Nachdem Bismarck 1871 die Vereinigung Deutschlands zum Deutschen Reich gelingt, wird Berlin Reichshauptstadt und Residenz des deutschen Kaisers. Zehntausende zieht es in die frisch ernannte Reichshauptstadt, vor allem aus dem Osten (daher der Spruch: jeder zweite Berliner stammt aus Breslau). Eine dramatische, langanhaltende Wachstumsperiode setzt ein. Von 1871 bis 1890 steigt die Einwohnerzahl von 900.000 auf 1,9 Mio., bis 1910 sind es schon 3,7 Mio. geworden. Um die Jahrhundertwende wird das Verkehrsnetz ausgebaut, 1902 fährt die erste U-Bahn. Bis 1914 herrschen nach Aussen Glanz und Gloria des Wilhelminischen Zeitalters.

Tauentzienstrasse mit der Plastik «Berlin» und der Kaiser-Wilhelm-Gedächtniskirche im Hintergrund.

Ruine der Kaiser-Wilhelm-Gedächtniskirche.

Nach dem Ersten Weltkrieg bricht jedoch auch die Monarchie zusammen. Mit Kaiser Wilhelm II., der nach Holland emigriert, verlassen die Hohenzollern nach 500 Jahren Herrschaft die Stadt. Und mit Friedrich Ebert wird ein Bürgerlicher Reichspräsident der neuen Republik. Berlin wächst weiter. Durch das Gross-Berlin-Gesetz von 1920 verschmilzt der alte Stadtkern mit 8 bis dahin selbstständigen Städten, 59 Landgemeinden und 27 Gutsbezirken zu «Gross-Berlin», das in 20 Bezirke aufgeteilt wird. 3,9 Mio. Einwohner zählt die Stadt jetzt. Innenpolitisch sind die «Goldenen Zwanziger» durch Krisen, Streiks, Demonstrationen, Inflation und Arbeitslosigkeit gekennzeichnet. Aus den bürgerkriegsähnlichen Zuständen gewinnen die Nationalsozialisten die Oberhand. Auch das schwärzeste Kapitel der deutschen Geschichte, die Hitler-Diktatur von 1933 bis 1945, findet seine markantesten Schauplätze in Berlin, das als Reichshauptstadt zum nationalsozialistischen Machtzentrum ausgebaut wird. Es folgen Unterdrückung, Gleichschaltung des öffentlichen Lebens, Judenverfolgung

*Ruine des
Reichstagsgebäudes
1945.*

EINLEITUNG

und –vernichtung, schliesslich die innere und äussere Zerstörung der Stadt.

Am 2. Mai 1945 kapituliert Berlin – oder vielmehr, was davon übrig geblieben ist: das grösste zusammenhängende Ruinengebiet Deutschlands und Europas. Die Trümmerfrauen leisten ganze Arbeit, erhalten die Stadt

notdürftig am Leben. Berlin kommt wieder auf die Füsse. Die Siegermächte beschliessen die Teilung Deutschlands, Berlin wird zur 4-Sektorenstadt. Im bald darauf einsetzenden «Kalten Krieg» wird die Stadt zum Zankapfel, zur Frontstadt. Nach der Währungsreform im Westen verhängen die Sowjets eine Blockade über die drei

Westsektoren der Stadt. Vom 24. Juni 1948 bis zum 12.Mai 1949 wird Westberlin über die Luftbrücke per «Rosinenbomber» versorgt. Nach wenigen Monaten des gemeinsamen Neuanfangs folgt die politische Spaltung: in Berlin, Hauptstadt der DDR, und Berlin, ein Teil der Bundesrepublik. Fortan gehen Ost und West getrennte Wege. Der Alltag will jedoch nicht einkehren. Der Volksaufstand im Ostteil der Stadt am 17. Juni 1953 wird mit Hilfe sowjetischer Panzer niedergeschlagen. Westberlin bleibt Fluchtpunkt für die Einwohner Ostberlins und der DDR, bis das Unfassbare geschieht: am 13. August 1961 begann die DDR mit dem Bau einer Mauer mitten durch Berlin, die von diesem Datum an die Stadt in zwei Teile teilte. Das grausige Symbol der deutschen Teilung, das West-Berlin auf einer Gesamtlänge von 155 km umschloss, forderte 80 namentlich bekannte Todesopfer und unzählbare Tränen. Einige Zahlen, die den Schrecken des unmenschlichen Bauwerks verdeutlichen: 66,5 km Metallgitterzaun, 302 Beobachtungstürme, 20 Bunker, 105 Fahrzeug-Sperrgräben, 127 Kontakt und Signalzäune, 124 Kolonnenwege, sowie, 259 Laufanlagen für scharfe Wachhunde. Immer wieder fordert die

Mauerbau Bernauer Straße.

Mauer am Potsdamer Platz.
Impressionen der Mauer mit Graffiti.

Seit dem 3. Oktober 1990 ist Deutschland und damit auch Berlin wieder vereinigt.
Das Brandenburger Tor in der Nacht des 3. Oktober 1990: Die Berliner feiern die Wiedervereinigung.

Brandenburger Tor.

unmenschliche Grenze bei Flucht-versuchen Tote und Verletzte. Doch immer wieder bekräftigt der Westen, dass Berlin nicht aufgegeben wird. Vor allem der amerikanische Präsident John F. Kennedy schafft Vertrauen und Sympathie, als er am 26. Juni in sei-ner legendären Rede vor dem Schöneberger Rathaus den Zuhörern versichert: «Ich bin ein Berliner!» Spürbare Erleichterungen für die Stadt gibt es erst seit dem Berliner Vier-Mächte-Abkommen im Jahre 1972 und dem darauf folgenden Grundlagen-vertrag zwischen beiden deutschen Staaten. Trotzdem werden noch wei-tere 17 Jahre der Trennung vergehen, bis sich die Grenzen der geteilten Stadt wieder öffnen. Nach wochenlangen Protesten und Demonstrationen wurde

der SED-Staat im November 1989 vom eigenen Volk abgesetzt. Die friedliche Revolution – eine der wenigen, die ohne Blutvergiessen ablief –, endete schliesslich am 9.November mit der Öffnung der Mauer. Tagelang feierte ein glückliches, von der Geschichte überraschtes Volk auf den Strassen und Plätzen Berlins. Zehntausende ver-sammelten sich am Brandenburger Tor und erklommen die Mauer. Fremde Menschen prosteten einander im Freudentaumel zu, jeder «Trabbi» wurde im Westen freudig begrüsst. In aller Eile mussten in den Tagen da-nach neue Verbindungen zwischen Ost und West geschaffen werden. Nach und nach wurde die Mauer – nach 29 Jahren! – endgültig abgerissen. Seit Weihnachten 1989 können die

Berliner und ihre Besucher wieder durch das Brandenburger Tor spa-zieren – in beide Richtungen, ganz nach Belieben. Was anderswo zum Normalsten der Welt zählt, hat man in Berlin schät-zen gelernt. Fast über Nacht wird aus der einst prachtvollen, dann ge-schundenen und lange Jahre gelähm-ten Stadt erneut ein Ort, auf den die Völker der Welt schauen. Nirgendwo ist Geschichte so spürbar, so greif-bar wie in Berlin. Am 3. Oktober 1990 findet schliess-lich die offizielle Wiedervereinigung Deutschlands statt und am 20. Juni 1991 wird Berlin vom Bundestag zur alten-neuen Hauptstadt gewählt, in der der Bundestag seit 1999 wieder zu-sammenkommt.

Quadriga auf dem Brandenburger Tor.

DAS BRANDENBURGER TOR

Das Brandenburger Tor mit der Siegessäule im Hintergrund.

DAS BRANDENBURGER TOR

Nach der friedlichen November-revolution 1989 und dem Fall der Berliner Mauer erfüllt das Brandenburger Tor endlich wieder seine eigentliche Funktion: die Berliner und ihre Besucher können seit dieser Zeit wieder frei von West nach Ost sowie von Ost nach West hindurch spazieren. Oben auf dem «Friedenstor», so der Name, auf den es bei seiner Einweihung 1791 getauft wurde, hält die sich majestätisch erhe-bende Siegesgöttin, ein Werk von Johann Gottfried Schadow, die Zügel eines Viergespanns (Quadriga) in ihren

Händen. Sie blickt in Richtung des damaligen Zentrums der Stadt. Das Brandenburger Tor wurde im Auftrag Königs Friedrich Wilhelm II. erbaut. Es entstand zu Ehren Friedrichs des Grossen, des siegreichen Generals und Friedenskönigs. Mit dem Projekt wurde der Architekt Carl Gotthard Langhans betreut, der sich von der Vorhalle der Akropolis in Athen inspirieren liess. 1807 entführte Napoleon das Vier-gespann samt Siegesgöttin als Kriegsbeute nach Frankreich. Erst 1814 konnte es nach dem Sieg über die fran-zösischen Truppen bei Leipzig wieder zurück erobert werden. Friedrich

Wilhelm III. sorgte damals dafür, dass dem Siegesdenkmal das preussische Kreuz und der preussische Adler hin-zugefügt wurden. Durch den Zweiten Weltkrieg hatte das Bauwerk ziemlichen Schaden genommen und wurde 1958 wieder hergestellt. Und im Jahre 1991 schliesslich wurde das Brandenburger Tor anlässlich des 200. Jubiläums sei-ner Erbauung erneut restauriert.
Das Brandenburger Tor markiert das Ende der **Strasse des 17. Juni** und am **Pariser Platz** den Anfang des Prachtboulevards **Unter den Linden**, den Übergang vom Westteil in den Ostteil der wiedervereinigten Stadt.

Ansicht von Berlin-Mitte.

DAS HISTORISCHE ZENTRUM VON BERLIN (BERLIN MITTE)

Hinter dem Brandenburger Tor und dem Reichstag erstreckt sich im Osten das ehemalige Stadtzentrum von Berlin. Der Blick aus der Vogelperspektive auf dieser Seite bietet uns einen Panoramablick über ganz Berlin Mitte. Hinter dem Brandenburger Tor gibt der Pariser Platz den Blick frei auf den grünen Boulevard Unter den Linden bis hin zum Dom, dem Palast der Republik und weiter zum Alexanderplatz. Dort steht der **Fernsehturm**, der wie eine spitze Nadel in den Himmel ragt. Mit seinen 365 Metern Höhe ist der 1969 erbaute Turm das höchste Bauwerk der Stadt. An sonnigen Tagen erscheint auf seiner schimmernden Kugel «die Rache des Papstes», ein Reflex des Sonnenlichts in Form eines Kreuzes, wie es so von der SED Führungsspitze sicherlich nicht beabsichtigt war. Das schwarze Hochhaus gegenüber dem Fernsehturm ist das ehemalige Ostberliner Handelszentrum.

Unter den Linden, eine der imposantesten Strassen der Stadt, zweigt hier ab. Dieser Boulevard enthält die ganze Pracht der preussischen Vergangenheit. Zwischen der Allee und der Spree sehen wir eine Reihe von historischen Gebäuden: das alte Zeughaus, die Staatsoper Unter den Linden, die Neue Wache, die Humboldt Universität sowie das Reiterstandbild Friedrichs des Grossen.

Das **Zeughaus** wurde zwischen 1695 und 1706 von den Architekten A. Nering, M. Grünberg und A. Schlüter gebaut und gilt als Hauptwerk des Berliner Barock. Es diente im damals jungen preussischen Staat als Waffenarsenal. Seit 1952 beherbergt es das **Deutsche Historische Museum**. In Erinnerung an seinen einstigen Zweck

Das alte Waffenarsenal, heute Sitz des Museums für deutsche Geschichte.

sind in seinen Innenräumen 22 Totenmasken von Soldaten ausgestellt.

Die **Staatsoper Unter den Linden** ist ursprünglich ein Werk des Architekten und Malers Knobelsdorff aus den Jahren 1741–1743, wurde aber nach dem Brand im Jahre 1843 von Carl Gotthard Langhans im klassizistischen Stil wieder aufgebaut.

Die **Neue Wache** wurde zwischen 1817 und 1818 von Karl Friedrich Schinkel für die Königliche Wache errichtet. In ihren Innenräumen finden wir das Mahnmal zum Gedenken an die Opfer des Faschismus und Militarismus, eine Skulptur von Käthe Kollwitz, inspiriert von der Pietá.

Der heutige Sitz der **Humboldt Universität** wurde 1748-1853 als Resi-

Werdersche Kirche, Staatsoper Unter den Linden und St.-Hedwigs-Kathedrale.

Die Neue Wache.

denz für den Prinzen Heinrich, den jüngeren Bruder Friedrichs des Grossen, gebaut. 1809, nach dem Tod Heinrichs wurde es der Universität zur Verfügung gestellt, deren Gründer der deutsche Politiker und Philologe Wilhelm von Humboldt war.

Das **Reiterstandbild Friedrichs des Grossen** wurde im Jahre 1851 in Erinnerung an den König geschaffen. Unter der Reiterfigur auf dem Sockel finden wir verschiedene Persönlichkeiten seiner Epoche wieder: Leopold I den Prinzen von Anhalt-Dessau, den Philosophen Immanuel Kant und

Humboldt Universität.

Unter den Linden mit dem Reiterstandbild von Friedrich dem Grossen.

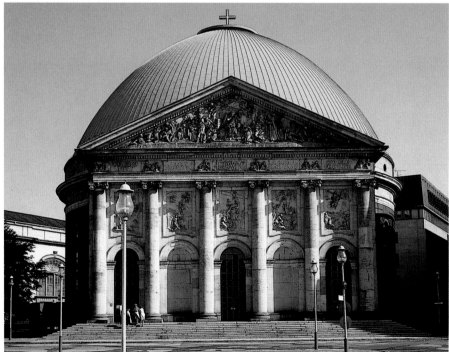

den Schriftsteller Gotthold Ephraim Lessing.

Hinter der Staatsoper Unter den Linden erhebt sich die **Sankt-Hedwigs-Kathedrale**, sofort erkennbar an dem schillernden Grün ihrer Kuppel. Mit dem Bau dieser Kirche zu Ehren des Patrons von Schlesien versuchte Friedrich der Grosse das Gemüt des Prinzen von Schlesien zu besänftigen, nachdem er dessen Territorium mit seiner Armee besetzt hatte. Die Kathedrale wurde zwischen 1747-1778 unter der Leitung des Architekten Knobelsdorff gebaut, nach dem Vorbild des Panthers in Rom. 1923 wurde sie zur Basilika ernannt. Nach den Verwüstungen des Zweiten Weltkrieges wurde sie 1952-1953 mit

Die St.-Hedwigs-Kathedrale.

Perspektive des Inneren des Französischen Doms am Gendarmenmarkt.

moderner Ausgestaltung in ihrem Inneren restauriert.

Nicht weit von hier finden wir einen Platz, der für viele als der schönste Berlins gilt: den **Gendarmenmarkt**. Der zwischenzeitlich auch Platz der Akademie genannte Platz- nach den damals hier untergebrachten Stallungen des Kürassierregiments der «Gens d'Armes», liegt mitten in der Friedrichstadt, etwas abseits von der Friedrichstrasse. An der Stirnseite prangt hier das **Schinkelsche Schauspielhaus**, ein Meisterwerk des gleichnamigen

Gendarmenmarkt mit Schauspielhaus und Französischem Dom.

DAS HISTORISCHE ZENTRUM VON BERLIN (BERLIN MITTE)

Architekten, das nach dem Brand des ehemaligen Nationaltheaters errichtet wurde (1774, abgebrannt 1817). Hier war als letzter Intendant Gustav Gründgens tätig. Da nach dem Zweiten Weltkrieg nur noch Ruinen davon übrig waren, wurde es 1967 rekonstruiert und in der Gegenwart finden hier Konzerte statt.

Linker und rechter Hand stehen der **Deutsche Dom** und der **Französische Dom**, beide zwischen 1701 und 1708 entstanden. Die imposanten Kuppeln wurden allerdings erst 80 Jahre später von Carl von Gontard hinzugefügt. Das ganze Ensemble wurde im Krieg schwer beschädigt und im Jahre 1977 begann man mit seiner beispielhaften Rekonstruktion. Man kann den Turm des Französischen Doms besteigen und die herrliche Aussicht von oben geniessen. Im Französischen

Dom finden wir das Hugenottenmuseum, der Geschichte dieser Flüchtlinge gewidmet. Im Deutschen Dom kann man seit 1996 die Ausstellung «Fragen der deutschen Geschichte» besichtigen, die die Entwicklung des deutschen Parlamentarismus seit 1800 beschreibt.

Gehen wir zur deutschen Staatsoper zurück, neben der sich der **Bebelplatz** – früher einmal Opernplatz – ausdehnt. Hier sehen wir mit der Frontseite zur Allee das **Alte Palais** stehen. Es wurde von Carl Ferdinand Langhans zwischen 1834 und 1837 als Stadtpalais für Kronprinz Wilhelm erbaut. Direkt dahinter und längs zum Bebelplatz steht die **Königliche Bibliothek**, die von den Berlinern wegen ihrer geschwungenen Form «Kommode» genannt wird. Im Unterschied zu den umliegenden

klassizistischen Gebäuden ist die Königliche Bibliothek ein Barockbauwerk. Nach dem Krieg wurde sie wieder aufgebaut und wird im Moment als Aula und Hörsaalgebäude von der Humboldt Universität genutzt. Wir sollten noch erwähnen, dass hier auf dem ehemaligen Opernplatz am 10. Mai 1932 die gespenstische Bücherverbrennung stattgefunden hat, in deren Verlauf unzählige Schriften und Bücher der «Unmoral und Zersetzung», von Autoren wie Thomas und Heinrich Mann, Kurt Tucholsky, Albert Einstein und Sigmund Freud u.a., Opfer der Flammen wurden.

Am Ende der Allee Unter den Linden am Ufer der Spree fällt der **Berliner Dom** mit seiner prächtigen übergrossen Kuppel ins Auge. Er wurde 1894 von Julius Raschdorff im Auftrag von Wilhelm II. erbaut. Aber das Gebäude

Die Königliche Bibliothek.

Der Berliner Dom.

hat noch mehr zu bieten, so zum Beispiel die Taufkapelle der Hohenzollern, die Kaisertreppe oder das Grab des Kronprinzen und seiner Frau Dorothea.

Hinter der Kathedrale auf der sogenannten **Museumsinsel** liegen die klassischen Museen Berlins: das **Alte Museum** mit verschiedenen Kunstsammlungen, erbaut 1830 unter der Leitung des Architekten Schinkel, die **Nationalgalerie**, ein neoklassisches Gebäude, erbaut 1866-1876; im **Pergamon Museum**, einem neoklassischen Bauwerk vom Anfang des 19. Jahrhunderts, stehen neben anderen wichtigen Werken der Pergamonaltar, das Markttor von Milet und das berühmte Tor von Istar, das Stadttor von Babylon; und schliesslich im äussersten Norden der «Museumsinsel» das **Bode-Museum**, das den Namen des Museumsgründers und Kunsthistorikers Wilhelm von Bode trägt. Hier sind mehrere Kunstsammlungen untergebracht. Vor dem Museumskomplex liegt der **Lustgarten**, eine ausgedehnte Anlage, die zum damals noch hier stehenden Stadtschloss gehörte und der seit der Zeit Friedrich Wilhelms I. als Schauplatz für Militäraufmärsche diente.

Gegenüber der Kathedrale auf dem Schlossplatz, wo in früheren Zeiten das königliche Schloss stand, deren Ruinen 1950 gesprengt wurden, ste-

DAS HISTORISCHE ZENTRUM VON BERLIN (BERLIN MITTE)

Blick über die Museumsinsel mit dem Berliner Dom.

Pergamonmuseum: Pergamonaltar (links) und Markttor von Milet.

Das Alte Museum mit Lustgarten.

Die Nationalgalerie.

DAS HISTORISCHE ZENTRUM VON BERLIN (BERLIN MITTE)

Altes Berliner Stadtschloss.

Ehemaliges Staatsratsgebäude der DDR.

Die Spree mit Marstall –jetzt Stadtarchiv–, Palast der Republik und dem Dom.

Die Spree und das Bodemuseum.

DAS HISTORISCHE ZENTRUM VON BERLIN (BERLIN MITTE)

Der Alexanderplatz mit Fernsehturm –erbaut 1965-1969–.

hen heute das **Staatsratsgebäude** und der **Palast der Republik**. Dieses Gebäude, eine wuchtige Beton-Stahl-Konstruktion mit Glasfassade, wurde 1976 errichtet. Hier tagte die Volkskammer der DDR und die erste demokratisch gewählte Regierung beschloss hier die Eingliederung der DDR in die Bundesrepublik. Hinter diesem Gebäude liegen die ehemaligen königlichen Stallungen aus dem Jahre 1670. Der Bau, geplant von Michael Matthias Smids, beherbergt heute die **Stadtbücherei** und **-archiv**.

Etwas weiter entfernt von der Straße Unter den Linden, liegt der **Alexanderplatz**, der mit der Errichtung des Fernsehturmes schon lange nicht mehr das Bild der Epoche des Schriftstellers Alexander Döblin bietet. In seinem berühmtesten Werk, dem Roman «Berlin Alexanderplatz» (1929), beschreibt Döblin in seinem eindringlichen Stil das Leben, das sich in den frühen Zwanzigern auf diesem Platz und um ihn herum abspielte. Der Zweite Weltkrieg hinterliess hier ein Ruinenfeld und die spätere DDR-Regierung wählte den Platz für ihre Militärparaden und Aufmärsche. Trotzdem ist der Alexanderplatz bis heute das lebendige Zentrum des Ostteils der Stadt geblieben.

Zum einen steht hier der bereits erwähnte 365 Meter hohe **Fernsehturm** aus dem Jahre 1969. Das Telecafé auf der sich drehenden Aussichtsterrasse bietet dem Besucher auf 200 Meter Höhe einen kompletten Panoramablick über die Stadt und ihre Umgebung.

Ebenfalls am Platze steht das **Rote Rathaus**, das seinen Namen dem roten Sandstein verdankt, aus dem es in den Jahren 1861 bis 1869 nach den Plänen von Friedrich Waese gebaut wurde. Nach der «Wende» 1989 tagte hier der «Runde Tisch». Ein Terracottafries an der Außenwand des

Rotes Rathaus mit Neptunbrunnen.

Gebäudes erzählt auf 200 Metern die Geschichte Berlins von seinen Anfängen bis zur Reichsgründung im Jahr 1871. In seinem Inneren bilden mehrere Glasmosaike Berliner Bezirkswappen ab. Das **Alte Stadthaus** war bis zur Wende Sitz des Ministerrats der DDR.

Gegenüber vom Alten Rathaus steht die **Marienkirche** – bereits im Jahr 1274 zum ersten Mal urkundlich erwähnt – die im Laufe der Jahre viele Veränderungen über sich ergehen lassen musste. Zwischen der Kirche und

Das Alte Stadthaus.

DAS HISTORISCHE ZENTRUM VON BERLIN (BERLIN MITTE)

Die Weltzeituhr auf dem Alexanderplatz.

dem Rathaus steht der im Jahre 1891 von Reinhold Begas erbaute **Neptun-Brunnen**. Die genaue Zeit aus 27 Ländern zeigt die Weltzeituhr am Alexanderplatz.

Älter als die Stadtzentren Unter den Linden und der Alexanderplatz, ja sogar älter als der Kurfürstendamm ist das **Nikolaiviertel**. Es liegt am Ende des Alexanderplatzes direkt am Ufer der Spree und gilt als die erste Siedlung Berlins. Im Mittelpunkt steht die **Nikolaikirche** mit ihren schon von weitem zu erkennenden Spitztürmen. Das Originalgebäude geht auf das Jahr 1230 zurück. Ihr aktuelles Aussehen aller-

Marienkirche mit Neptunbrunnen.

Nikolaiviertel.

dings ist das Ergebnis der ausgedehnten Umbauten, die Ende des 14. Jahrhunderts an ihr vorgenommen wurden. Die anliegenden Häuser laden mit ihren gastronomischen und anderen Angeboten zum Verweilen ein. Sowohl die Kirche als auch das gesamte Stadtviertel erlitten im Zweiten Weltkrieg ziemlichen Schaden, und

erst im Jahre 1982 wurde mit der Rekonstruktion begonnen. Hier um den ehemaligen Molkemarkt drängen sich jetzt nostalgisch-historische Häuser, die einst entweder hier oder an anderen Orten gestanden haben. So wie zum Beispiel die Stammkneipe des Malers Zille «**Zum Nussbaum**», die sich eigentlich auf der Fischerinsel befand.

Ein weiteres interessantes Gebäude in diesem Stadtteil ist zum Beispiel das **Ephraimpalais** an der Ecke Mühlendamm/Poststrasse. Es wurde im Jahre 1764 gebaut und zeugt noch heute vom Reichtum und Wohlstand seines Besitzers, des einstigen Inhabers der Münzrechte der Stadt. Doch auch damals schon gab es Falschgeld, der

Nikolaikirche und der Platz um die Kirche.

Jungfernbrücke.

DAS HISTORISCHE ZENTRUM VON BERLIN (BERLIN MITTE)

Litfaßsäule im Nikolaiviertel.   *Prunkbalkon am Ephraimpalais.*

Brunnen im Nikolaiviertel.   *Standbild des Heiligen Georg im Kampf gegen den Drachen.*

DAS HISTORISCHE ZENTRUM VON BERLIN (BERLIN MITTE)

Altes Postfuhramt.

Volksbühne.

Tacheles.

Monbijou-Park.

«Strandbad-Mitte».

Theaterplatz: Kammerspiele und Deutsches Theater.

Bankier Veitel Ephraim musste viele Jahre hinter Gitter, da er Münzen nicht aus reinem Gold, sondern nur mit einem dünnen Goldüberzug hergestellt hatte. Heutzutage dient das elegante Palais dem Stadtmuseum Berlin, in dem verschiedenen Ausstellungen zum Thema Berlin gezeigt werden.

Kirche und Stadtviertel tragen den Namen des Heiligen Nikolaus, des Schutzpatrons der seefahrenden Kaufleute. Die restaurierten repräsentativen Häuser am rechten Spreeufer vermitteln heute noch einen Eindruck, wie Handel und Wandel in der einstigen Doppelstadt Berlin-Cölln zu damaligen Zeiten aussahen. Bei unserem Spaziergang durch das alte Berlin kommt das Gefühl auf, dass hier die Zeit stehen geblieben ist. Eine Brunnenskulptur zeigt den Kampf des heiligen Georg mit dem Drachen, an einem anderen Brunnen hält der Berliner Bär das Wappen der Stadt fest in seinen Klauen. Eine Litfasssäule informiert uns über aktuelle Veranstaltungen. Zunftzeichen weisen schon von Weitem auf das Handwerk des Hausbewohners hin. Das Nikolaiviertel – ein Spaziergang zurück in die reiche Geschichte Berlins; ein Spaziergang, der sich auf jeden Fall lohnt.

Bevor wir das historische Zentrum der Stadt verlassen, möchten wir noch einige andere Sehenswürdigkeiten erwähnen. Den Theaterplatz im Norden des Stadtteils Berlin Mitte, an dem sich das **Deutsche Theater** und die **Kammerspiele** befinden, zwei alteingesessene Schauspielhäuser, die noch heute als die wichtigsten Bühnen Berlins gelten. Das Deutsche Theater widmet seine Produktionen vor allem dem Klassischen Theater, während in den Kammerspielen vorwiegend Komödien aufgeführt werden. Ausserdem finden wir hier den **Flohmarkt**, der an den Wochenenden von 10 bis 16 Uhr auf dem Arkonaplatz, ebenfalls im Norden von Berlin Mitte, stattfindet.

Unter den Linden, S-Bhf Friedrichstrasse und IHZ (Internationales Handels Zentrum).

Friedrichstrasse Richtung Unter den Linden.

S-Bhf Friedrichstrasse.

KREUZBERG

Eine der wenigen Erhebungen Berlins kann tatsächlich mit einem Wasserfall aufwarten. Im Norden des Flughafens Tempelhof im Victoriapark, im Stadtviertel Kreuzberg ergiesst er sich von den Höhen des Kreuzbergs (stolze 66m) über viele Terrassen rauschend zur Grossbeerenstrasse hinunter – wo die Wassermassen spurlos unter dem Grossstadtasphalt verschwinden.

Im Jahre 1894 wurde der **Wasserfall von Kreuzberg,** so wie er heute noch erhalten ist, nach dem Vorbild eines Wasserfalles im Riesengebirge von dem damaligen Gartendirektor Berlins Hermann Mächtig entworfen. An seinem oberen Ende, dort wo der Wasserfall «entspringt», reckt sich das **Kreuzbergdenkmal** gegen den Himmel empor, ein Turm aus Metall von 66 Metern Höhe, der an die napoleonischen Befreiungskriege von 1813 bis 1815 erinnern soll. Das Werk entstand nach den Plänen von Karl Friedrich Schinkel und wurde 1821 eingeweiht. Von hieraus hat man eine wundervolle Aussicht über die Stadt. Weiter im Norden auf dem Askanischen Platz, steht das Eingangsportal zum seinerzeit wichtigsten Fernbahnhof von Berlin: dem **Anhalter Bahnhof.** Alle 4 Minuten fuhr hier ein Zug in Richtung Süden ab: nach Leipzig, Dresden, Wien, Rom oder Athen. Nach dem Krieg, in dem das Gebäude ernsthaften Schaden genommen hatte, starteten hier die «Hamsterzüge» ins Umland. 1952 wurde schliesslich der Zugverkehr eingestellt. Im Jahre 1961 wurde das beschädigte Gebäude gesprengt und später die verbleibende Ruine nachträglich restauriert.

Im Stadtviertel Kreuzberg nicht weit entfernt vom Anhalter Bahnhof stossen

Der Wasserfall von Kreuzberg, auf dessen Spitze sich das Kreuzberg-Denkmal erhebt, das 1821 zum Gedenken an die Befreiungskriege gegen Napoleon errichtet wurde.

Reste des Anhalter Bahnhofs.

wir auf einige Sehenswürdigkeiten. In der Niederkirchner Strasse, wo früher einmal die Mauer verlief – wovon noch einige Reste zeugen – befindet sich der **Preussische Landtag**, in dem seit 1993 der Kongress der Berliner Abgeordneten tagt und der Ausstellungssaal **Martin-Gropius-Bau**. Dieses Gebäude, ein Werk von Martin Gropius, Grossonkel des berühmten Walter Gropius, beherbegte bis 1921 das **Berliner Kunstgewerbemuseum**. Nach Restaurierung nutzt man das Gebäude für Sonderausstellungen. In seinem Inneren können wir die schönen Säle und den Innenhof mit seinen herrlichen Stuckarbeiten bewundern.

Direkt neben dem Martin-Gropius-Bau steht das Dokumentationszentrum der **Topographie des Terrors** auf dem Prinz Albrecht Gelände. Auch dieses Gebäude, das zwischen 1933 und 1945 das Hauptquartier der gefürchteten SS war, kann man besichtigen. Etwas weiter entfernt von hier in der Friedrichstrasse stossen wir auf den berühmten ehemaligen Grenzübergang **Checkpoint Charlie**. Nur Diplomaten oder Mitglieder der Alliierten durften hier die Grenze überqueren. In unmittelbarer Nähe zeigt das **Mauer Museum**. Zahlreiche Wege, Apparaturen und Erfindungen, die den Bürgern der DDR zur Flucht auf die andere Seite der Mauer oder der Grenze verhelfen sollten.

Schliesslich möchten wir noch das **Berlin Museum** in der Lindenstrasse erwähnen. Zusammen mit dem Märkischen Museum am Köllnischen Park wird es in Zukunft das Museum der Stadt Berlin beherbergen: das Märkische Museum wird die Berliner Geschichte bis ins Jahr 1848 dokumentieren, wohingegen das Berlin Museum Zeugnisse der neueren Geschichte der Stadt zeigen wird.

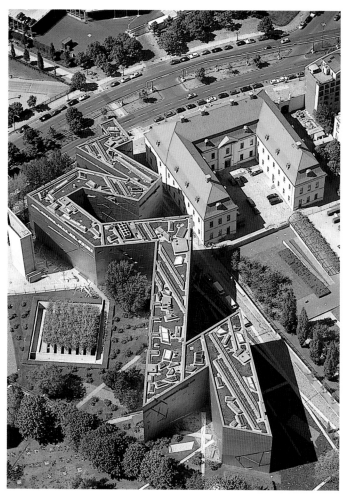

Jüdisches Museum.

Das Ausstellungsgebäude Martin-Gropius-Bau.

Kreuzberg - Blick nach Berlin Mitte im Vordergrund das neue Tempodrom.

Verkehrsmuseum.

Friedrichstrasse
«Checkpoint
Charlie».

Der Grosse Stern und die Siegessäule.

TIERGARTEN, DAS KULTURFORUM UND DER POTSDAMER PLATZ

Der **Tiergarten**, mitten im Zentrum der Stadt, ist mit seiner Ausdehnung von 200 Hektar eine der zahlreichen grünen Lungen von Berlin und gehört zu den beliebtesten Grünanlagen der Stadt. Hier finden wir inmitten vieler berühmter Gebäude den Neuen See auf dem man sogar Bootsfahrten un-ternehmen kann. Ursprünglich Jagd-revier des Kurfürsten wurde der Park schliesslich 1717 auch den Bewohnern von Berlin zugänglich gemacht. Anfang des 19. Jahrhunderts wurde er unter Peter Joseph Lenné, dem königlichen Gartenbaumeister, ganz im Stile der englischen Landschaftsarchitekten um-gestaltet und in den folgenden Jahren immer wieder durch hinzukommende Statuen und Büsten verschönert. Durch den Krieg wurde er zum grössten Teil zerstört, insbesondere nach Kriegs-sende, als eine grosse Anzahl von Bäumen gefällt und als Feuerholz be-nutzt wurde, um die Kälte der harten Nachkriegswinter überstehen zu kön-nen. Mit seiner Rekonstruktion und Wiederbepflanzung wurde im Jahre 1949 begonnen.

Durch den Tiergarten führt von Osten nach Westen die **Strasse des 17. Juni**.

Ansichten des Trödel - und Kunstmarktes an der Straße 17. Juni.

Love-Parade.

TIERGARTEN, DAS KULTURFORUM UND DER POTSDAMER PLATZ

Detail der Siegesgöttin. Zu ihren Füssen befindet sich eine Aussichtsplattform.

In der Mitte des Tiergartens laufen hier alle wichtigen Strassen, die Lenné in seinem Plänen vorgesehen hatte, am **Grossen Stern** zusammen. An dieser grossen Rotunde erhebt sich die **Siegessäule**. Die 68 Meter hohe Sandsteinsäule wurde von Heinrich Strack zwischen 1869 und 1873 erbaut. Auf ihrer Spitze erhebt sich die Siegesgöttin oder auch «Goldelse», wie sie die Berliner nennen, gestaltet von Friedrich Drake in Erinnerung an die siegreichen Feldzüge der preussischen Armee im 19. Jahrhundert. Ursprünglich stand diese Säule auf dem Königsplatz vor dem Reichstag. Erst 1938/39 wurde sie im Laufe der Umstrukturierung der Reichshauptstadt auf den Grossen Stern versetzt. Von der Panoramaplattform, die man über eine Wendeltreppe erreicht, zu Füssen der Siegesgöttin, hat man eine wunderbare Aussicht über den Tiergarten und ganz Berlin.

Die Strasse des 17. Juni ist besonders an Wochenenden sehr belebt: Hier findet an Samstagen und Sonntagen von 8 bis 17 Uhr der **Kunst- und Trödelmarkt** statt, der grösste Flohmarkt von ganz Berlin. Wie auf den anderen Trödelmärkten der Stadt (dem Flohmarkt und dem Kunst- und Nostalgiemarkt, beide im Osten des Stadtteils Mitte gelegen) kann man ohne Schwierigkeit wirklich originelle Objekte oder Reliquien aus der ehemaligen DDR ergattern. An der Strasse des 17. Juni, kurz vor dem Brandenburger Tor, steht das **Ehrenmal der Sowjetunion**. Es wurde 1945 kurz nach der Eroberung Berlins aus Steinquadern der ehemaligen

Kongresshalle.

Blick auf Regierungsviertel Richtung Berlin Mitte.

Schloss Bellevue.

Reichstags Gebäude.

Berliner verliehen dem Bau den Spitznamen «Schwangere Auster», eine Anspielung auf die wagemutigen Kurven und Schwünge seiner Dachkonstruktion und die ihn umgebenden Wasserbecken. Die Kongresshalle liegt im Nordosten des Tiergartens an der John-Foster-Dulles-Allee. Nachdem 1980 das vordere Dach einstürzte, wurde das Gebäude renoviert und 1987 anlässlich der 750-Jahr-Feier der Stadt wieder eröffnet. Heute dient sie als Ausstellungshalle und beherbergt das **Haus der Kulturen der Welt**, unter welchem Namen sie auch bekannt ist. Abgesehen von einem grossen Ausstellungssaal verfügt sie über ein Auditorium mit einer Kapazität von 1.250 Plätzen, in dem Konzerte, Kinovorführungen und Konferenzen veranstaltet werden.

Zwischen der Kongresshalle und dem Hansaviertel steht das **Schloss Bellevue**. Es wurde im Auftrag von Prinz Ferdinand von Preussen (dem

Reichskanzlei zu Ehren der 20000 sowjetischen Soldaten errichtet, die in der Schlacht um Berlin gefallen waren. Im äussersten Nordosten des Tiergartens erstreckt sich das damals hochmoderne **Hansaviertel**, das zur Interbau im Jahre 1957 angelegt worden war. Hier stehen im Wechsel einstöckige Bauten neben hohen Wohnblöcken, geplant von so berühmten Architekten wie Walter Gropius oder Max Taut, neben vielen anderen.

Ganz in der Nähe befindet sich auch die **Kongresshalle**, der Beitrag der Vereinigten Staaten zur Interbau. Die

*Reichstag, Paul
Löbe Haus,
Bundeskanzleramt
und Lehrter
Bahnhof.*

Der Reichstag.

jüngeren Bruder Friedrichs des Grossen) zwischen 1785 und 1786 erbaut und ist seit 1993 der offizielle Amtssitz des Bundespräsidenten. Gegenüber dem Platz der Republik, im äussersten Nordosten des Tiergartens, steht der **Reichstag**. Im Jahre 1871 wurde Berlin nach der Gründung des deutschen Reiches zur Reichshauptstadt ernannt und es wurde beschlossen, ein neues Tagungsgebäude für das Parlament zu bauen. Zu diesem Zweck wurde ein Wettbewerb ausgeschrieben, aus dem als Gewinner der Architekt Paul Wallot hervorging. Am 9. Juni 1884 nahm Kaiser Wilhelm I. persönlich die Grundsteinlegung vor. Der Bau wurde schliesslich im Jahre 1894 mit der Legung des Schlusssteins durch Kaiser Wilhelm II. abgeschlossen. Die Widmung über dem Portal «Dem Deutschen Volke» wurde erst während des ersten Weltkrieges nachträglich hinzugefügt. Am 9. November 1918 rief Philipp Scheidemann von einem Fenster des Reichstages die Republik aus. Beim «Reichstagsbrand» 1933 wurde das Gebäude

Detail der Kuppel des Reichstags.

Blick über Tiergarten und das Kulturforum, links die Philharmonie und rechts die Nationalbibliothek und die Matthäuskirche.

durch Brandstiftung teilweise zerstört. Nach der deutschen Einigung, wurde im Dezember 1990 hier das erste frei gewählte Parlament seit dem Zweiten Weltkrieg konstituiert. Im Jahre 1999, nach ausgedehnten Umbauten, wurde dann der «Neue Reichstag» mit seiner eindrucksvollen 23 Meter hohen Glaskuppel, ein Werk von Sir Norman Foster, entstanden in Anlehnung an die ursprüngliche Kuppel des Gebäudes, eingeweiht.

Im Südwesten des Tiergartens in der Nähe des Lützow Platzes befindet sich das **Bauhausarchiv**, ein Museum, das 1978 fertiggestellt wurde, und welches von Bauhausgründer Walter Gropius selbst konzipiert worden war. Hier werden Modelle, Zeichnungen, Möbel und Kunsthandwerk dieser

bedeutenden Designschule von seinen Anfängen 1919 bis zu seiner Schliessung im Jahre 1933 ausgestellt. Neben der ständigen Sammlung werden hier auch regelmässig wechselnde Ausstellungen gezeigt.

Ein Muss für den Berlinbesucher ist auch das **Kulturforum** im Süden des Tiergartens, eine Bauanlage aus den 60er Jahren, welche die Idee einer «Museumsinsel», wie sie in Ost-Berlin bereits existierte, wiederaufnimmt. Das wohl bemerkenswerteste Gebäude dieser Anlage ist die **Philharmonie** mit ihrer goldgelben Fassade, neben den angrenzenden Gebäuden des **Musikinstrumentemuseums**, der **Staatsbibliothek**, und dem **Kammermusiksaal**. Alle vier Gebäude wurden von dem Architekten Hans Scharoun

(1893-1972) entworfen: Fertigstellung Philarmonie 1963, Kammermusiksaal 1987, Musikinstrumentenmuseum 1984, Staatsbibliothek 1978 (letzter Bau von Scharoun). Die Philharmonie, eines der modernsten und repräsentativsten Beispiele moderner Architektur der Stadt und Sitz der Berliner Philharmonie, ist weltweit bekannt für ihre exzellente Akustik. Hier werden nicht nur klassische Konzerte geboten; von Ende Oktober bis Anfang November öffnet das Berliner Jazz-Festival hier den Jazzliebhabern seine Tore. Nebenan bietet der Kammermusiksaal den angemessenen Rahmen für kleinere Ensembles. Das Musikinstrumentemuseum beherbergt eine Sammlung von mehr als 2500 Instrumenten; die Führung schliesst auch eine De-

Kunstgewerbemuseum.

monstration der unterschiedlichsten Musikinstrumente ein. In der Nationalbibliothek stehen interessierten Lesern fast drei Millionen Werke zur Verfügung.

Auf dem Gelände finden wir ausserdem das von Rolf Gutbrod entworfene **Kunstgewerbemuseum** (1973-1985), die **Matthäuskirche** (August Stühler, 1846) und die **Gemäldegalerie**, ein Gebäude von Heinz Hilmer und Christoph Sattler, das 1998 eingeweiht wurde. Die beeindruckende Sammlung europäischer Malerei stammt eigentlich aus Dahlem und reicht vom 18. Jahrhundert bis in die Moderne. In dem von Mies van der Rohe aus Glas und Stahl gestalteten Gebäude der **Neuen Nationalgalerie** (1965 -1968), werden Ausstellungen zeitgenössischer Kunst gezeigt.

Hinter dem Kulturforum liegt der **Potsdamer Platz**. Angelegt zur Zeit Friedrich Wilhelms I. bildete er damals die Verbindung zwischen Ost und Westteil der Stadt. Mit dem

Bendlerblock in der Stauffenbergstrasse. Gedenstätte 20. Juli.

In unmittelbarer nähe zum Kulturforum liegt das neue Regierungsviertel - hier das neue Bundeskanzleramt.

Die Neue Nationalgalerie, eine Konstruktion aus Stahl und Glas, von Mies van der Rohe zwischen 1965 und 1968 gebaut.

Links die Philharmonie und der Kammermusiksaal, rechts die Matthäuskirche und dazwischen die Gemäldegalerie. Im Hintergrund der Potsdamer Platz («Daimler City» und Sony Center).

Potsdamer Platz um 1980.

Blick über den neugestalteten Potsdamer Platz und das historische Zentrum von Berlin (Berlin-Mitte).

Der Potsdamer Platz bei Nacht.

Mauerbau 1961 wurde er dann allerdings zu einer traurigen Insel im Niemandsland. Nach der deutschen Einigung gewann der Platz endlich wieder an Bedeutung: 1994 nahm hier die grösste Baustelle Europas ihren Betrieb auf. An der Rekonstruktion des Potsdamer Platzes beteiligten sich so namhafte internationale Architekten wie Renzo Piano, Georgio Grassi, Arata Isozaki, Rafael Moneo, Helmut Jahn oder Richard Rogers. Das Ergebnis kann heute besichtigt werden. Der neue urbanistische Kom-

Perspektive von Philharmonie und Potsdamer Platz.

Das neue Gesicht des Platzes.

plex umfasst mehrere Wohngebäude und hunderte von Büros; internationale Unternehmen wie Daimler Chrysler und Asea Brown Boveri (ABB) haben hier ihren Sitz. Hier finden sich Hotels von Weltrang und mehrere Kinosäle sowie ein Cinemax-Center mit einer Kapazität ausreichend für mehr als 3500 Besucher, weiterhin das grösste Kasino Deutschlands, eine überdimensionale Music-Hall und zahlreiche Geschäfte, Bars und Restaurants, das Sony-Center, ein Zentrum für audiovisuelle Technik, eine Mediathek sowie eine Cinemathek.

Potsdamer Platz mit Leipziger Strasse.

Zentrum «City West».

KU'DAMM UND UMGEBUNG

Einer der am meisten fotografierten Orte der Stadt ist dort, wo sich der **Kurfürstendamm** (von den Berlinern liebevoll Ku'damm genannt) und die **Joachimstaler Strasse** kreuzen. Unweit dieser Kreuzung befindet sich neben anderen Sehenswürdigkeiten die **Kaiser-Wilhelm-Gedächtniskirche**, aber auch der Rest des Ku'damms bietet eine Vielfalt von Motiven für Fotografen. Hier pulsiert das Leben: hier finden wir die grösste und abwechslungsreichste Einkaufsstrasse der Stadt. Strassenhändler, Musiker, Gaukler und Narren aller Art wetteifern um die Aufmerksamkeit der Passanten und der Gäste auf den Terrassen der berühmten Strassen- cafés. Der Ku'damm ist und bleibt ein Schauplatz des Berliner Lebens voll von Lebensfreude und Originalität – zum einen kosmopolite Prachtstrasse, zum anderen das typisch Berliner Ambiente. Hinter der Gedächtniskirche, am **Breitscheidplatz,** führt der Ku'damm weiter in Ostrichtung zum **Wittenbergplatz,** hier nun unter dem Namen **Tauentzienstrasse**. Von einem

Ende bis zum anderen, von Wilmersdorf bis zum Wittenbergplatz, wäre ein Spaziergang auf dem Ku'damm vier Kilometer lang.

In der Vergangenheit ungefähr in der Mitte des 16. Jahrhunderts war der Kurfürstendamm ein einfacher Sandweg, der Berlin mit dem kurfürstlichen Jagdschloss verband. Erst 1880, zu Zeiten Bismarcks, erhielt er sein heutiges Aussehen und wurde sofort zu einem der beliebtesten Orte Berlins. So kam es, dass wohlhabende Kaufleute und Adlige dort ihre luxuriösen Geschäfte und Wohnhäuser erbauten. Leider sind diese Gebäude im Zweiten Weltkrieg zum grossen Teil zerstört worden.

Wilhelminische Vergangenheit und moderne Gegenwart zugleich symbolisiert das einzigartige Ensemble der **Kaiser-Wilhelm-Gedächtniskirche**. Von dem im Krieg zerstörten Bau blieb nur die Ruine des Turms als Mahnmal gegen den Krieg erhalten. Um den «Hohlen Zahn», wie er im Volksmund genannt wird, herum errichtete der Architekt Egon Eiermann zwischen 1961 und 1963 vier neue Gebäude aus Stahlskeletten und blauschimmernden Buntglasmosaiken, die sowohl von aussen als auch von innen äusserst sehenswert sind. «Puderdose und Lippenstift» ist der liebevolle Spitzname, den die Berliner diesem Bauwerk gegeben haben.

Direkt gegenüber der Gedächtniskirche steht das **Europa-Center**, eine kleine Stadt in der Stadt, mit über 100 Läden und Boutiquen, die Dienstleistungen und Produkte aller Art anbieten. Cafés, Restaurants, Kinos, sowie das Kabarett «Die Stachelschweine» sind hier untergebracht. Besondere Aufmerksamkeit verdienen zwei Anziehungs-

Kaiser-Wilhelm-Gedächtniskirche mit Europa-Center.

Kranzler-Eck mit Victoria Passage.

Eine Terrasse auf dem Ku'damm.

Victoria Passage-Lichthof.

Das Café Tyffany's im Europa-Center.

punkte: die Terrasse des Café Tiffany's und die 13 Meter hohe «Uhr der fliessenden Zeit» von B. Gitton. Das Europa-Center wurde 1965 eingeweiht und sehr schnell zu einem der beliebtesten Ziele für Berliner und Besucher. Das höchste Gebäude des Europa-Centers (gekrönt von dem Mercedes-Stern auf einer Höhe von 103 m) ist bekannt unter dem Namen «Klein-Manhattan».

Zwischen dem Hochhaus und der Gedächtniskirche liegt der Breitscheidplatz, auf dem sich der originelle **«Weltkugelbrunnen»** erhebt: die tragende Säule besitzt einen Durchmesser von 18 Metern, die Kugel eine Höhe von 4,5 Metern.

Europa-Center: «Uhr der fliessenden Zeit» und ein Blick ins Innere.

Zoo: Elefantentor.

Ganz in der Nähe befindet sich einer der Eingänge zum **Zoologischen Garten.** Neben dem flächenmäßig größeren Tierpark Berlin-Friedrichsfelde ist er einer der vielfältigsten, was die Anzahl seiner Tiere angeht (mehr als 1500 verschiedene Arten). Er wurde 1844 gegründet, ausgehend von der Tiersammlung von Friedrich Wilhelm IV., die er der Stadt vererbte. Spektakulär ist das Elefantentor mit seinen Gebäuden im orientalischen Stil, das von zwei überlebensgrossen steinernen Elefanten bewacht wird. Direkt neben dem Eingang zum Zoologischen Garten befindet sich das **Aquarium,** ein Gebäude, das abgesehen von seiner umfangreichen Sammlung an Süss- und Salzwassertieren auch ein **Terrarium** sowie das renommierte **Insek-**

Aquarium.

Ansicht des Wittenbergplatzes und der Tauentzienstrasse bei Nacht.

tarium beherbergt. Sie alle gehören dem Zoologischen Garten an, können jedoch auch separat besichtigt werden. In der Tauentzienstrasse ragt eine Plastik mit dem Namen: «**Berlin**» hervor. Geschaffen wurde sie von dem Bildhauer Matschinsky-Denninghoff für den Skulpturen-Boulevard zu Anlass der 750-Jahrfeier der Stadtgründung Berlins (1987). Die Skulptur symbolisierte gleichzeitig die Zusammengehörigkeit und die Zerrissenheit der damals noch geteilten Stadt. Wenn wir

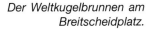

Der Weltkugelbrunnen am Breitscheidplatz.

KU'DAMM UND UMGEBUNG

Kurfürstendamm Ecke Joachimsthaler Strasse mit Swisshotel und Wertheim.

weitergehen, sehen wir neben dem U-Bahnhof Wittenbergplatz das um 1900 eröffnete berühmte **Kaufhaus des Westens**, bekannter unter der Abkürzung **KaDeWe**, ein Stück Berliner Geschichte. Heutzutage ist es eines der grössten und modernsten Einkaufszentren des Kontinents. Auf sieben Etagen beherbergt es eine unendliche Fülle an Verkaufsartikeln. Jeden Wunsch zu befriedigen, sei er gross oder klein, extravagant oder exotisch, war schon immer das oberste Prinzip dieses Hauses. Über eine besondere Anziehungskraft verfügt das weltberühmte «Schlemmerparadies» in der 6. Etage. So kann man hier zum Beispiel unter 1800 verschiedenen Käsesorten auswählen.

Schräg gegenüber der Gedächtniskirche steht ein anderes grosses Kaufhaus mit langer Tradition: das Kaufhaus **Wertheim**. Seine Schaufenster und die hervorstechende über mehrere Stockwerke reichende Frontverglasung präsentieren immer wieder eine originelle und auffällige Dekoration. Seine grösste Attraktion allerdings befindet sich im Dachgeschoss des Gebäudes: ein Panorama-Restaurant mit verschiedenen Plazas, Avenues und Cafés zwischen Springbrunnen und künstlichen Teichen und einem erhabenen Blick über die «City» von West-Berlin.

Bevor wir dieses Stadtviertel verlassen, sollten wir noch einige andere Sehenswürdigkeiten nicht unbeachtet lassen, zum Beispiel das **Theater des Westens** in der Kantstrasse 12. Dieses Theater, untergebracht in einem Belle-Epoque-Gebäude aus dem Jahre 1896, gilt als eines der berühmtesten Theater für Musical und Operette von Berlin. Ganz besonders empfehlen wir auch die vielen **Cafés** und **Restaurantes** den Kurfürstendamm entlang und in seinen Nebenstrassen.

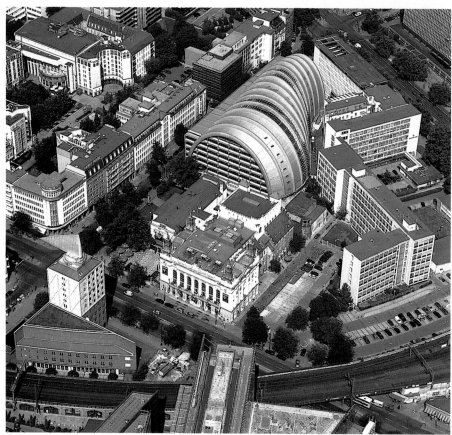

Theater des Westens und Berliner Börse.

Fassade der Vorderfront des Hauses der jüdischen Gemeinde.

DAS JÜDISCHE GEMEINDEHAUS UND DIE NEUE SYNAGOGE

In der Fasanenstrasse, einer Querstrasse des Ku'damms wurde zwischen 1957 und 1959 das neue **Jüdische Gemeindehaus** errichtet. An der gleichen Stelle befand sich die 1910-1912 von Ehrenfried im romanisch-byzantinischen Stil erbaute Synagoge. Von diesem alten und eindrucksvollen Sakralbau, der wie so viele andere Gebäude in der Pogromnacht am 9. November 1938 zerstört wurde, war allerdings nur noch das ehemalige Eingangsportal übriggeblieben, das nun der Neubaufassade vorgesetzt wurde. Die Skulptur in schwarzer Farbe, gegenüber auf dem Platz, stellt eine zerstörte Torarolle dar.

In der traurigen Pogromnacht des Jahres 1938 wurde auch die Synagoge in der Oranienburger Strasse 30 geplündert und angezündet. Sie stand im Norden des historischen Zentrums und war seit ihrer Erbauung 1866 das Zentrum des gesellschaftlichen und geistigen Lebens der jüdischen Gemeinde in Berlin. Durch die späteren Bombardierungen des Jahres 1943 verblieben von dem einstigen Bauwerk schliesslich nur noch Ruinen. Der Wiederaufbau der **Neuen Synagoge** wurde 1988 begonnen; ihr wohl auffälligsten Element sind die Kuppeln im orientalischen Stil. Die Haupthalle des Tempels kann man vom «Centrum Judaicum» aus sehen, einem 1995 eingeweihten Museum, in dem das Schicksal der Synagoge und die Geschichte der Berliner Juden dokumentiert werden.

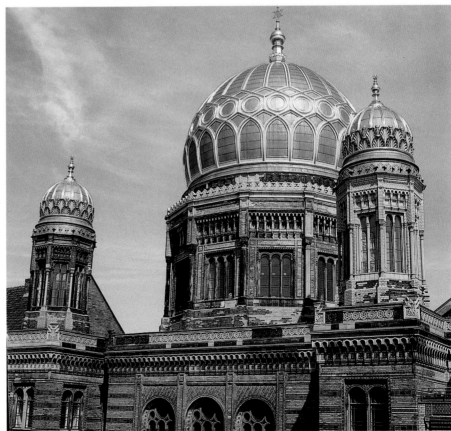

Detailansicht der Kuppeln der Neuen Synagoge.

Hauptsaal der Neuen Synagoge (Seite 64).

Deutsche Oper Berlin.

CHARLOTTENBURG

Die Strasse des 17. Juni führt im Westen zum Bezirk Charlottenburg. Am Ernst-Reuter-Platz, an dem die Gebäude der **Technischen Universität** emporragen, wird sie zur Bismarckstrasse und später zum Kaiserdamm. Im ersten Teil der Bismarckstrasse stehen zwei bedeutende Kultursäle der Stadt: das Schillertheater (Hausnummer 110) und die Deutsche Oper Berlin (Hausnummer 35). Das **Schillertheater** wurde 1905/1906 gebaut und im Verlauf des Zweiten Weltkrieges weitgehend zerstört. Das neue Theater wurde schliesslich 1951 wieder eröffnet, um erneut zu einer der besten Bühnen des klassischen deutschen Theaters zu werden. Allerdings standen in der Gegenwart seit seiner Privatisierung vor

allem Musicals aus New York auf dem Spielplan. Die **Deutsche Oper Berlin** ist ein moderner Bau aus Stahlbeton (1956 bis 1961 von Ernst Bornemann entworfen). Seine Inszenierungen, besonders die Ballettaufführungen, geniessen internationale Anerkennung und sind Bühne für die grossen Stimmen der Welt.
Am Ende des Kaiserdamms an der Masurenallee erstreckt sich das **Messegelände** mit seinen verschiedenen Ausstellungshallen, ebenso befinden sich hier das **ICC (Internationales Congress Centrum)** und der **Funkturm**, zwei der Wahrzeichen Berlins. Nachdem die alte Kongresshalle im Tiergarten nicht mehr genügend Platz bot, wurde zwischen 1975 und 1979 direkt neben dem Messegelände das Internationale Congress Centrum ge-

baut. Seine Dimensionen sind wahrhaft gigantisch: der Bau ist 320 Meter lang mit einer Breite von 80 Metern und einer Höhe von 40 Metern. Er besitzt insgesamt 8 Kongresssäle und über 70 Konferenzräume mit einer Kapazität von 20300 Plätzen.
Wie ein gerade gelandetes Raumschiff aus einem Science-Fiction-Film liegt das ICC dem «Langen Lulatsch» gegenüber, dem 1926 aus Anlass der 3. Funkausstellung eingeweihten Funkturm. Er ist eines der wenigen Bauwerke, die den Krieg unbeschadet überstanden haben. Seine Höhe beträgt 135 Meter, wenn man die Antenne mitrechnet, sind es ganze 150 Meter. Auf der Höhe von 55 Metern befindet sich eine Aussichtsterrasse mit einem Panoramarestaurant, weiter oben auf 125 Metern Höhe kann

ICC und Funkturm.

man von einer zweiten Terrasse den Ausblick über ganz Berlin geniessen. Nicht weit von hier, am anderen Ende der Masurenallee in Richtung Theodor-Heuss-Platz befindet sich der Sitz des **RBB (Ehemals Sender Freies Berlin)** mit seinen Radio- und Fernsehstudios, erbaut zwischen 1963 und 1971 von den Architekten Robert Tepez und Annelies Zander.

Weiter im Osten von Charlottenburg in der Nähe der Reichsstrasse steht das **Olympiastadion**. Es wurde auf dem Gelände des Reichsstadions errichtet, das für die Olympischen Spiele 1936 nach den Plänen der Architekten Werner und Walter March gebaut worden war. Auch heute noch beeindruckt dieser monumentale Bau in Form eines Ovals (300 m Länge auf 230 m Breite) als architektonische Meisterleistung. Das Stadion, damals Schauplatz der Triumphe vieler Sportler, u.a. des mehrfachen Goldmedaillengewinners Jesse Owens, bietet nahezu 90000 Zuschauern Platz.

Hinter dem Olympiagelände liegt in westlicher Richtung die **Waldbühne**. Diese Freilichtbühne ist nach dem Vorbild der klassischen Amphitheater entworfen und hat Platz für ca. 20000 Zuschauer. In den letzten Jahren hat sie sich zu einem der Lieblingsplätze der Berliner im Sommer entwickelt. Bei Wein, Saft und belegten Brötchen lauscht man hier bei Kerzenlicht an warmen Sommerabenden den Klängen von Symphoniekonzerten oder man tanzt zu Auftritten hochkarätiger Popstars. Auch Open-Air-Kinoveranstaltungen finden regen Zuspruch. Traurige Berühmtheit erlangte das legendäre Konzert der Rolling Stones im Jahre 1967, bei dem das gesamte Inventar zu Kleinholz gemacht wurde.

Olympiastadion.

Unser Spaziergang durch Charlottenburg am Spandauer Damm mit einem Besuch des **Schloss Charlottenburg** ab. Nach Sprengung des Stadtschlosses 1950 ist das Schloss Charlottenburg heute das einzige Hohenzollernschloss in Berlin. Der Bau wurde 1695 dem Baumeister Nering von Friedrich III. als Sommerresidenz für seine Gemahlin Sophie Charlotte in Auftrag gegeben. Das für damalige Verhältnisse eher kleine Gebäude – es bestand lediglich aus dem Mittelbau – stand damals vor den Toren Berlins, unweit des Dorfes

Waldbühne.

Haupteingang zum Schloss Charlottenburg und Reiterstandbild des Grossen Kurfürsten im Ehrenhof des Schlosses.

Lietzow. Die erste Erweiterung erfolgte 1701 nach der Krönung des Kurfürsten zum preussischen König. Von diesem Zeitpunkt an wurde die Anlage immer wieder erweitert und umgebaut. Nach dem Tod von Sophie Charlotte wurde das Schloss von «Lietzenburg» in «Charlottenburg» umbenannt.

Vor dem Hauptgebäude, in dem von schmiedeeisernen Gittern umgebenen Ehrenhof, steht das Reiterstandbild des Grossen Kurfürsten. Sein Sohn, König Friedrich I. liess es 1696 von Andreas Schlüter im Gedenken an seinen Vater anfertigen. Die majestätische Skulptur stand früher auf der Langen Brücke (heute Rathaus-

brücke) in der alten Stadtmitte und wurde erst 1952 in Charlottenburg aufgestellt.

Einige der historischen Räume des Schlosses können besichtigt werden, unter anderen die prachtvollen Privaträume Friedrichs des Grossen. Die Gesamtanlage umfasst ausser dem Kernbau noch den **Schlossgarten**, den ältesten noch erhaltenen Garten Berlins. Der Garten wurde zunächst als französischer Barockgarten angelegt und Ende des 18. Jahrhunderts schliesslich von Lenné in einen englischen Landschaftsgarten umgestaltet. Hier liegt das **Teehaus Belvedere**, es wurde 1788 im Auftrag von Friedrich II. gebaut, in seinen Innenräumen können wir die Meisterwerke der Königlich Preussischen Porzellanmanufaktur (KPM) bewundern. Ebenso sehenswert ist das **Mausoleum**, ein kleiner Tempel, dessen Bau 1810 bis 1812 von Friedrich II. als Grabstelle für sich und seine Frau, Königin Luise, in Auftrag gegeben wurde. Schliesslich befindet sich hier noch der **Schinkelpavillon**, ein kleiner luxuriöser Sommersitz, den Friedrich III. für sich und seine 2. Frau, die Prinzessin von Liegnitz, im Jahre 1824 von Schinkel erbauen liess.

Sehr empfehlenswert ist ein Besuch im **Knobelsdorfflügel** des Schlosses, so genannt zur Erinnerung an seinen Erbauer. Dort ist eine Bildergalerie der Romantik untergebracht, u.a. mit Spitzwegs Gemälde «Der arme Poet» und Werken von Watteau bis Caspar David Friedrich. Auf der anderen Seite des Spandauer Damms, dem Schloss gegenüber stehen drei berühmte Museen: die **Ägyptische Sammlung**, hier steht die berühmte Büste der Nofretete; die **Sammlung Berggrün**, mit bedeutenden Gemälden, sowie Skulpturen und einer Skizzen-

sammlung mit Werken acht berühmter Künstler (Picasso, Klee, Cezanne, Matisse, van Gogh, Braque, Laurens und Giacometti), alles Werke die von dem Sammler Heinz Bergrün zusammengetragen und später der Stadt vermacht wurden. Weiterhin befindet sich hier das **Bröhan-Museum,** gegründet von dem Hamburger Handelsmann Karl Bröhan, der ebenfalls seine Kunstwerke der Stadt schenkte. Hier finden wir Möbel, Gemälde und Industriedesign von der Pariser Weltausstellung 1889 bis zum Beginn des Zweiten Weltkrieges.

Schloss Charlottenburg mit Schlossgarten.

DER BOTANISCHE GARTEN UND DIE DAHLEMER MUSEEN

Tropenhaus im Botanischen Garten.

DER BOTANISCHE GARTEN UND DIE DAHLEMER MUSEEN

Als der alte Schaugarten in Schöneberg Ende des 19. Jahrhunderts zu klein wurde, entstand unter der Leitung des Botanikers Adolf Engler zwischen Lichterfelde und Dahlem der neue **Botanische Garten**. Eingeweiht wurde dieser 42 Hektar grosse Garten 1910. Er ist mit seiner vielseitigen Flora, die aus mehr als 18 000 Pflanzenarten besteht, einer der beeindruckendsten der Welt. In seiner Mitte steht das architektonisch eindrucksvolle Tropenhaus, in dessen Innerem ganze tropische Landschaften angelegt sind. Einen Besuch wert sind auch das Victoria-Amazonica-Haus mit seinen gleichnamigen Wasserpflanzen und die neuen Kakteenhäuser. Der Botanische Garten dient sowohl der Lehre und Forschung als auch der Erholung für seine Besucher. Die beiden Eingänge befinden sich in der Königin-Luise-Strasse und in der Strasse Unter den Eichen.

Nicht weit vom Botanischen Garten zwischen Arnimallee und Lanstrasse steht der Dahlemer Museenkomplex, gebaut im Jahre 1921 auf Initiative des Wilhelm von Bode, der in einem einzigen Gebäude vier interessante Museen vereint: das **Museum für Indische Kunst**, das **Museum für Islamische Kunst,** das **Museum für Ostasiatische Kunst**, und das **Museum für Völkerkunde**. Letzteres ist vielleicht das für Besucher attraktivste der vier Museen, da es aussergewöhnliche Funde aus allen Teilen der Welt sowie eine Sammlung von Raritäten des Kurfürsten aus dem 17. Jahrhundert enthält.

Teilansicht von Spandau und der Scharfen Lanke.

BERLIN ZWISCHEN SPREE UND HAVEL

In Westrichtung erstreckt sich das Stadtviertel Charlottenburg bis zur Havel, die Berlin auf einer Länge von 30km durchquert. Wie die Spree im Südwesten der Stadt den Müggelsee speist, so erweitert sich im Südosten die Havel zur Seenlandschaft Wannsee mit zahlreichen Buchten, Badestränden und Bootsanlegestellen. Eine Flotte von Ausflugsdampfern fährt zur Pfaueninsel, zur Stadtmitte und bis nach Tegel.

Am Zusammenfluss von Havel und Spree liegt **Spandau**, eine alte Siedlung, die bereits im Jahre 1232 das Stadtrecht erhielt und 1920 der Stadt Berlin eingemeindet wurde. Als besonders schön gilt hier die Altstadt mit ihren alten Häusern, die Sankt-Nikolas-Kirche (aus dem 15. Jahrhundert mit barocken und neogotischen Verzierungen), die Zitadelle, eine Festung aus dem 16. Jahrhundert, die auf den Ruinen einer ehemaligen Burg aus dem 12. Jahrhundert gebaut wurde. Hier im Juliusturm wurde zwischen 1874 und

1919 der «Reichskriegsschatz» aufbewahrt.
Zwischen Spandau und dem Grossen Wannsee erstreckt sich auf der linken Seite der **Grunewald** über ein Gebiet von mehr als 30 Quadratkilometern. Mitten im Wald erhebt sich hier der 50 Meter hohe Grunewaldturm, der 1897 von Franz Heinrich Schwechten erbaut wurde.
An der Mündung des Grossen Wannsees liegt die Insel **Schwanenwerder**, die mit dem Ufer durch eine Brücke verbunden ist. Hinter der Insel erstreckt sich der **Grosse Wannsee**, mit sei-

Havelschleuse in Spandau.

Hauptportal der Zitadelle von Spandau mit Juliusturm.

Der Grunewaldturm von der Havel aus.

BERLIN ZWISCHEN SPREE UND HAVEL

Das Schiff «Moby Dick» auf dem Grossen Wannsee.

nem über 1 km langen Strand und den Wannseeterrassen ist er zu einem der beliebtesten Auflugsziele der Berliner geworden.

Wenn wir Westrichtung dem Lauf der Havel folgen, kommen wir bald zur **Pfaueninsel**. Die Insel ist über 76 Hektar gross und nur mit der Fähre zu erreichen. Ein Besuch auf der Pfaueninsel ist sehr zu empfehlen, vor allem wegen ihrer vielfältigen Flora, den zahlreichen Vögeln und seltenen

Strandbad Wannsee.

*Schloss auf der
Pfaueninsel.*

Glienicker
Brücke.

Ehemalige
besonders stark
gesicherte
Grenzanlage an
der Glienicker
Brücke.

Pflanzen, und der von Brendl künstlerisch gestalteten Schlossruine, die im Auftrag von Friedrich Wilhelm II., dem Neffen und Nachfolger von Friedrich dem Grossen, und seiner Frau zwischen 1794 und 1797 entstand. Der ausgesprochen schöne Naturpark auf der Insel wurde jedoch später von dem berühmten preussischen Gartenbaumeister, Peter Joseph Lenné 1822 entworfen, demselben Baumeister, der schon den Tiergarten und den Schlossgarten von Charlottenburg gestaltet hatte.

Zuletzt steht weiter im Süden, bzw. am Ende der Königstrasse in Richtung Potsdam, die **Glienicker Brücke**. Nach den Wirren des Zweiten Weltkrieges und nach dem Abbruch der Mauer ist die Brücke heute wieder zu dem geworden, was schon die erste 300 Meter lange unter Kurfürsten Friedrich Wilhelm errichtete Holzbrücke gewesen war: nämlich die schnellste und bequemste Verbindung zwischen Berlin und dem neoklassischen **Jagdschloss Glienicke** nach Potsdam. Nach ihrer Zerstörung durch deutsche Soldaten 1945 wurde sie 1950 wieder aufgebaut, mit den Anlagen des Grenzübergangs zur DDR in der Mitte der Brücke. Passierberechtigt waren nur autorisierte Militärs der Alliierten und akkreditierte Diplomaten. Berühmt wurde die Brücke als Schauplatz von spektakulären Agentenaustauschen.

«Scharfe Lanke» zu Spandau mit Blick auf die Havel Richtung Wansee.

DIE FLUGHÄFEN BERLINS

Das Luftbrückendenkmal am Flughafen Tempelhof, vom Volksmund auch «Hungerkralle» genannt.

DIE FLUGHÄFEN BERLINS

Im Süden von Kreuzberg liegt der **Flughafen Tempelhof**, dessen Geschichte auf das Jahr 1923 zurückgeht, und über den bis zur Einweihung des Flughafens Tegel im Jahre 1974 der gesamte militärischen und zivilen Flugverkehr von West-Berlin abgewickelt wurde. Hier vor der Eingangshalle am Platz der Luftbrücke fällt uns eine Skulptur auf, ein Werk von Edward Ludwig aus dem Jahre 1951, mit dem an die Berlin-Blockade vom 23. Juni 1948 bis zum 12.Mai 1949 erinnert

werden soll, als die Stadt auf dem Land- und Wasserwege von Umland und Westzone abgeschnitten war. Es symbolisiert die drei Luftwege, über die Westberlin mit den sogenannten «Rosinenbombern» versorgt wurde. Dem berühmten Luftbrückendenkmal gaben die Berliner den Spitznamen «Hungerkralle».

Der **Flughafen Tegel** wurde 1974 als Erweiterung zum Flughafen Tempelhof eingeweiht. In Tegel baute man auf traditionsreichem Gelände, denn schon 1909 landete hier auf dem Übungsplatz des Berliner Luftschiffbataillons

Flughafen Tegel.

Detail des Flughafen Tegel.

Graf Zeppelin mit seinem LZ 3. Später in den 30er Jahren war das Gelände Schauplatz der Raketenversuche von Rudolf Nebel, Hermann Oberth und Wernherr von Braun. Aufgrund des erheblichen Anstiegs des Flugverkehrs wurde der Flughafen zur Bewältigung einer Kapazität bis zu 10 Millionen Passagiere pro Jahr ausgebaut. Seit Berlin wieder Hauptstadt und Regierungssitz ist, wird über eine Erweiterung des im Süden Berlins gelegenen Flughafens **Schönefeld** und über einen neuen Grossflughafen weit ausserhalb des Stadtgebietes nachgedacht.

Flughafen Schönefeld.

Schloss Sanssouci.

*Sanssouci: Bibliothek, Marmorsaal, kleine Galerie und Arbeits-
und Schlafzimmer.*

POTSDAM

Direkt vor den Toren Berlins liegt Potsdam, dessen Besuch man auf keinen Fall versäumen sollte. In der alten Residenzstadt der Brandenburgischen Kurfürsten und seit 1701 auch der preussischen Könige, atmet noch der Geist der Hohenzollern. Potsdam diente 1945 den Siegermächten als Tagungsort für die Verhandlungen über das Schicksal Deutschlands («Das Potsdamer Abkommen» im Schloss Cecilienhof) und präsentiert sich heute als Ex–Bezirkshauptstadt und neue Haupt–

stadt des Bundeslandes Brandenburg. Potsdams Vorzeigestücke sind natürlich das **Schloss Sanssouci** mit seinen Gartenanlagen, die sich zusammen über ein Gelände von 290 Hektar ausdehnen. König Friedrich Wilhelm I. liess die 993 erstmals erwähnte slawische Siedlung neu herrichten, nachdem der Kurfürst Friedrich Wilhelm hier im Jahre 1600 ein Stadtschloss hatte erbauen lassen. Das eigentliche Potsdam, die barocke Residenzstadt, entstand zwischen 1715 und 1720, als Friedrich Wilhelm I. für seine Garde der «Langen Kerls» in der Neustadt Kasernen bauen liess.

1745 beauftragte Friedrich II. seinen Baumeister Hans Georg von Knobelsdorff mit dem Bau eines Schlösschens in recht bescheidenen Ausmassen auf einem terrassenförmig angelegten Weinberg. Dort wollte er ungestörte Stunden der Musse verbringen, von der Last des Alltags befreit und «ohne Sorgen» – «Sanssouci!» Der Staatsmann, Flötenspieler, Philosoph und Dichter hatte die Skizzen für sein Schloss «Sorgenfrei» eigenhändig entworfen. Das zum Gesamtensemble gehörende **Chinesische Haus** erbaute J.G. Büring 1754-1757; die **Neptunsgrotte** gestaltete Knobelsdorff in den

*Schloss Sanssouci und die
historische Mühle.
Friedrich der Große
(Arbeits-und
Schlafzimmer).
Gästezimmer.
Konzertzimmer, Suprapark.
Bibliothek (geöffneter
Schrank). Gästezimmer.*

*Chinesisches Haus: die
Kuppel, Wandmalerei,
Hornbläser.
Melonenesser.
Geigenspielerin.*

Die Bildergalerie.

Jahren 1751 bis 1757; die **Bilder-galerie** (1755-1764 entstanden) ist eines der ältesten Museen Deutsch-lands; und die **Neuen Kammern** aus dem Jahr 1747 wurden von Meister Knobelsdorff 1771-1775 zum Wohn-gebäude umgebaut.

Nach dem Siebenjährigen Krieg schuf sich Preussens Glanz und Gloria ein imposantes Denkmal: das **Neue Palais**, gebaut zwischen 1763 und 1769 von J.G. Büring und H.C. Manger. 292 Sandsteinskulpturen, 196 Putten, steinerne Lorbeerkränze und eine rie-sige Kuppel schmücken das präch-tige, 240 Meter lange Gebäude mit seinen 200 kostbar ausgestatteten Sälen. Hinter dem Neuen Palais be-

Die Bildergalerie: Blick zur Kaminwand.

Die Neuen Kammern mit historischer Mühle.

Blick über das Neue Palais mit dem Gebäude der Communs.

Schlosstheater. Oberes Fürstenquartier, Frühstückszimmer. Marmorsaal. Unteres Fürstenquartier, Damenschlafzimmer. Marmorgalerie. Grottensaal.

Das Neue Palais.

Schloss
Charlottenhof.

Charlottenhof:
Speisesaal.

*Römische Bäder:
Bild des
Gebäudes,
Caldarium,
Impluvium und
Ansichten von
Atrium.*

Die Orangerie.

finden sich die **Communs**, ein Gebäudekomplex aus den Jahren 1766-1769, der verschiedenen Zwecken des Schlosses diente, so zum Beispiel der Unterbringung der Dienerschaft und des Gefolges.

Der Schlosspark von Sanssouci erlebte unter Friedrich Wilhelm IV. eine zweite Bauphase. Seit 1840 König und Kurfürst, liess Friedrich Wilhelm IV. zwischen 1826 und 1829 von Schinkel das **Schloss Charlottenhof** erbauen, ein Bauwerk im streng neoklassischen Stil; die **Römischen Bäder** und das **Hofgärtnerhaus** stammen aus dem

Die Orangerie: Raphaelsaal.

POTSDAM ...

Jahre 1829; die **Orangerie** mit ihrer 300 Meter langen Fassade und ihren kostbar geschmückten Räumen wurde im Jahre 1828 entworfen, jedoch erst 1851-1860 gebaut.

Auch in der Stadt Potsdam finden sich sehenswerte Gebäude. Auf dem Luisenplatz, neben dem Schlosspark von Sanssouci steht das **Brandenburger Tor**, ein Triumphbogen, der 1771 von K.v. Goutard und G. Ch. Unger in Gedenken an den Siebenjährigen Krieg erbaut wurde. Von hier führt die Fussgängerzone der Brandenburger Strasse zum Bassinplatz. Im Süden stehen unweit vom **Alten Markt** die 1830-1837 von Schinkel entworfene **Nikolaikirche** und das **Alte Rathaus**, letzteres ein Werk von J. Boumann aus dem Jahre 1753. Zwischen Bassinplatz und dem neo-gotischen **Nauener Tor**, liegt das **Holländer Viertel** (1734-1742), eine Anlage im traditionellen holländischen Stil, die den am Bau des Schlossparks beschäftigten holländischen Handwerkern als Unterkunft dienen sollte.

Weiter im Norden, an den Ufern vom Heiligen See steht das **Marmorpalais**, ein Bauwerk aus Backstein und schlesischem Marmor, der Lieblingswohnsitz von Friedrich Wilhelm II. Ebenfalls im Norden von Potsdam befindet sich die **Russische Kolonie**: eine Häusersiedlung im russischen Stil, die auf Anweisung von Friedrich II. gebaut wurde. Die russisch-orthodoxe Kirche entstand im Jahre 1829. Ebenso im Norden befindet sich das **Schloss Cecilienhof**. Dieses Schloss erlangte speziellen

Das Drachenhaus und das Marmorpalais.

Ansichten von Schloss Cecilienhof.

Ruhm, als hinter seinen Mauern im Sommer 1945 die Potsdamer Konferenz stattfand. Die Regierungschefs der Siegermächte, Stalin, Truman und Attlee (der Stellvertreter von Churchill) sollten hier über das Schicksal Deutschlands nach dem Krieg entschieden. Der Runde Tisch, an dem das Potsdamer Abkommen unterzeichnet wurde, kann heute noch besichtigt werden, ebenso wie viele der Säle des Schlosses. Es wurde in den Jahren 1913 und 1916 als Wohnsitz für den Sohn Kaiser Wilhelms II. und dessen Frau Cecilie gebaut. Die Pläne stammen von P.S. Naumburg, der sich in seinen Entwürfen vom Stil englischer Landhäuser inspirieren liess. Neben den historischen Sälen beherbergt das Schloss auch ein Hotel und ein Restaurant.

Schreibzimmer des Kronprinzen (Sowjetisches Arbeitszimmer). Konferenzsaal Vestibul. Zimmer der Kronprinzessin (Amerikanisches Arbeitszimmer). Ankleidezimmer des Kronprinzen. Bibliothek des Kronprinzen (Britisches Arbeitszimmer).

POTSDAM

Potsdam mit Havel und Grunewald, am Horizont erkennt man Berlin. Im Vordergrund der Alte Marktplatz mit Nikolaikirche und dem Alten Rathaus.

Potsdam: Gotische Bibliothek, Sanssouci-Belvedere, Russische Kolonie, Historische Mühle, Orthodoxe Kirche St. Alexander Niewski und Friedenskirche.

Potsdam: Altes Rathaus, Holländerviertel, Brandenburger Straße, Filmmuseum (Breite Straße), Französische Kirche, Jäger-Tor, Nauener Tor, Militärwaisenhaus (Breite Straße).

EDITORIAL ESCUDO DE ORO, S.A.
Palaudàries, 26 - 08004 Barcelona
Tel: 93 230 86 10 - E-mail: editorial@eoro.com

I.S.B.N. 84-378-1531-2
Druck FISA - Escudo de Oro, S.A.
Hinterlegtes Pflichtexemplar B. 4318-2005